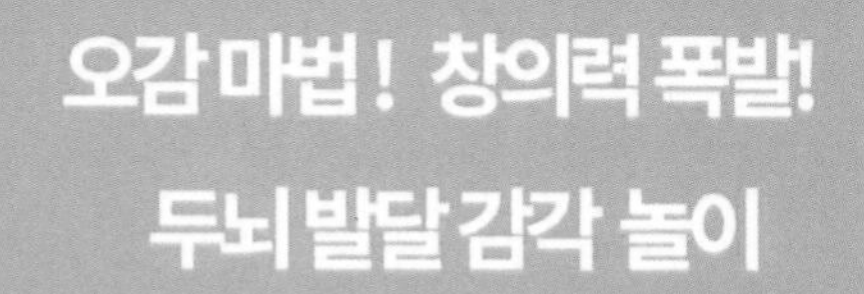

작은 손 큰 상상

♥ 이은미

작은 손 큰 상상

발 행 | 2024년 07월 25일
저 자 | 행복한 뮈쌤 이은미
펴낸이 | 한건희
펴낸곳 | 주식회사 부크크
출판사등록 | 2014.07.15.(제2014-16호)
주 소 | 서울특별시 금천구 가산디지털1로 119 SK트윈타워 A동 305호
전 화 | 1670-8316
이메일 | info@bookk.co.kr

ISBN | 979-11-410-9651-9

www.bookk.co.kr

작은 손
큰 상상

이은미 지음

- 목차 -

- 프롤로그 -

20대의 푸르른 시절, 나는 미술 선생님이라는 특별한 직업을 통해 아이들과 맞닿게 되었습니다. 그들은 선생님이라는 이유로 나를 사랑했습니다. 내가 낳은 아이도 이렇게 예쁠 수 있을까? 싶을 정도로 아이들은 참으로 아름다웠습니다.

서른이 되어 결혼하고 첫째를 낳았을 때, 갓 태어난 아이를 바라보며 이렇게 다짐했습니다.

“이제 나는 너를 위해 할 수 없는 일이 없겠구나.”

모든 일이 예정대로 진행되는 것 같았습니다. 내 아이는 너무나 예뻤지만, 계획대로 되지 않는 유일한 존재였습니다. 아이는 예민하고 까다로운 성향이어서 모든 발달 과정이 순탄치 않았습니다. 영아 시기는 감각 발달이 중요한 시기라 아이를 위해 오감 발달 교육의 필요를 느꼈습니다. 여기저기 찾아보다 결국 내가 아이를 가장 잘 알 수 있는 사람이자 엄마라는 사실을 깨달았습니다. 내 재능을 발휘해 아이에게 최고의 경험을 선사하고 싶은 마음으로 오감 놀이를 구상하게 되었고, 공부도 다시 시작했습니다. 동시에, 더스토리연구소에서 오감성경놀이 프로그램 개발에 참여하면서 많은 성공을 거두게 되었습니다.

나의 첫째는 나를 훈련시키는 보물이자 최고의 선생님이 되었습니다. 여전히 어려움이 있지만, 그녀는 누구보다 감성적이고 자신의 감정을 솔직하게 표현할 수 있는 아이로 성장하고 있습니다.
나의 둘째는 진정한 축복입니다. 첫째와는 다른 성향으로, 나에게 새로운 영감과 기쁨을 안겨주고 있습니다. 나의 아이들은 나를 미술 선생님과 오감놀이 프로그램개발자로 성장하게 만들어 주었습니다.

이 책은 단순한 오감 놀이책이 아닙니다. 이 책은 나의 아이들과 제자들의 성장 이야기이자, 엄마이자 선생님이 기록한 사랑의 여정입니다. 아이를 키우고, 영유아를 가르치는 엄마와 선생님들에게 희망과 해답이 되길 바랍니다.

감각표현 1

반짝!

관찰하고 깨달아요.

반짝! 관찰하고 깨달아요. 1

아이들에게 친숙한 빨대는 다양하게 변신할 수 있는 창의적 재료이다. 오아시스 꽂꽂이와 빨대 고슴도치로 아이들의 상상력을 쑥쑥 키운다.

오아시스로 꽂꽂이해요.

활동 목표 : 빨대를 오아시스로 꽂을 때의 느낌과 감정을 표현하며 오감을 키우자!
준비물 : 오아시스, 색 빨대, 미농지, 흰색 물감
활동 효과 : 대·소근육 발달, 공간인지력 발달, 창의력발달, 시각, 촉각, 청각 발달, 탐구력발달
활동 순서 :

1. 미농지를 구겨보고 찢어보며 재료를 탐색한다. 찢은 미농지를 손가락에 돌돌 말아 잡아당기면 꽃 모양이 된다. (굳이 꽃 모양이 아니어도 구겨진 작은 뭉치라도 좋다)
2. 오아시스를 손으로 눌러보며 어떤 느낌이 나는지 탐색한다.
3. 하얀색 물감으로 오아시스에 자유롭게 색칠한다(오아시스에 물을 미리 약간 먹여놓으면 빨대를 넣기 쉽다).
4. 동그랗게 구겨놓은 미농지를 빨대에 끼워 꽃을 만들어

준 후 아이가 자유롭게 꽂을 수 있도록 유도한다.

TIP :

1. 미농지를 구기고 찢을 때는 어떤 소리가 나고 어떤 모습으로 바뀌는지 관찰한다.
2. 꽃을 꽂을 때 아이가 편하게 골고루 꽂을 수 있도록 오아시스를 여러 방향으로 돌려준다.
3. 꽃 모양이 인위적이지 않아도 좋다. 아이가 아무렇게나 구긴 종이도 색 빨대에 꽂으면 예쁜 작품이 된다.
4. 어떤 향기가 날지 상상해 본다.

<완성작>

SUPER
TEMPERA

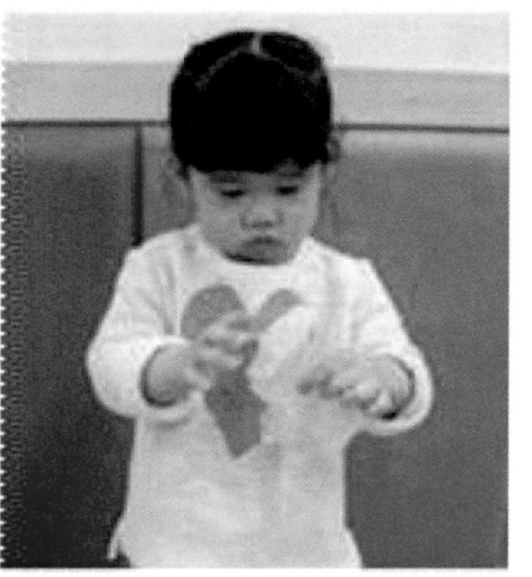

색 빨대로 고슴도치 친구를 만들어요!

활동 목표 : 색 빨대로 아이들이 좋아하는 동물 친구를 만들어 보자!
준비물 : 색 빨대, 지점토, 눈알
활동 효과 : 공간 감각 발달, 소근육 발달, 청각, 시각, 촉각 발달, 창의력발달, 입체구성력 발달, 지구력발달
활동 순서 :

1. 지점토를 떼어보고 문질러보고 냄새도 맡아보고 찔러도 보며 어떻게 생겼는지 탐색한다.
2. 빨대로 찍었을 때 어떤 모양이 나오는지 관찰한다. (지점토가 차가워서 만지는 것에 거부감이 있다면 빨대를 사용하여 찔러보며 탐색하는 것도 좋다.)
3. 자른 색 빨대를 자유롭게 점토에 꽂아 멋지게 꾸며준다(고슴도치의 사진이나 관련 동화를 본 후 어떻게 생겼는지 이야기하며 꾸며본다.).
4. 아이가 원하는 위치에 고슴도치의 눈알을 붙여준다.
5. 고슴도치의 모습을 관찰하고 만져보며 이름을 지어주고 마무리한다.

TIP :

1. 아이가 눈알을 제 위치에 붙이지 않아도 아이가 상상하고 표현하고 싶어 하는 곳에 붙이게 하고 칭찬해 준다.

2. 백업에 눈알을 위로 붙여 가운데에 붙여주면 재미있는 꽃게로도 변신!

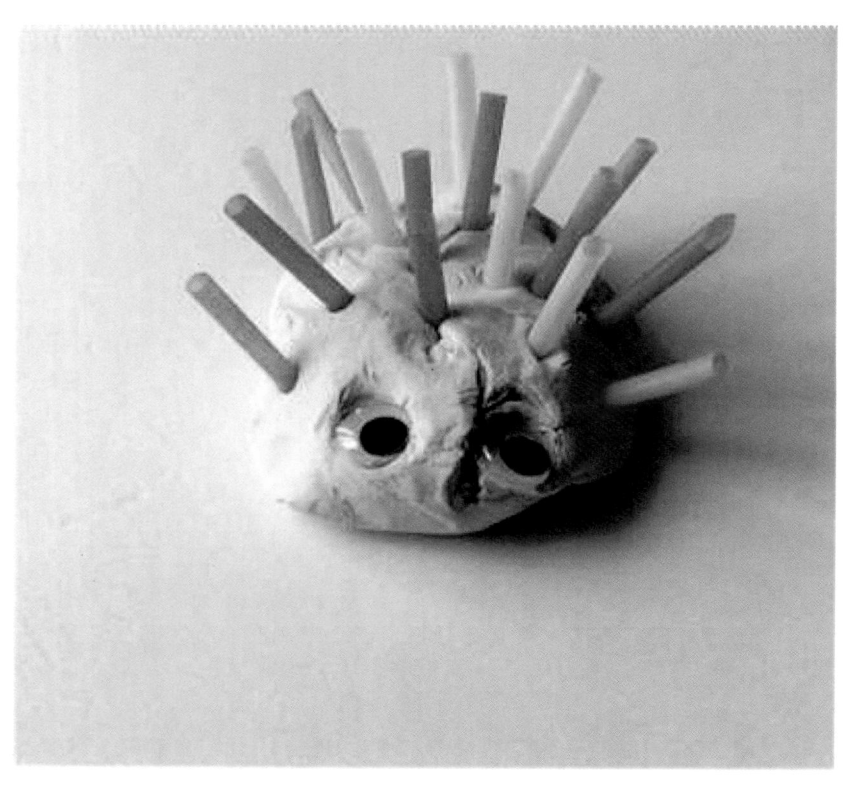

<완성작>

⇧TIP

반짝! 관찰하고 깨달아요. 2

손과 발을 사용하여 오감 놀이를 한 후 내 신체의 명칭을 익히고 손과 발의 소중함을 안다. 손과 발의 모양 관찰과 소리를 통해 오감을 발달시킨다.

퐁퐁 터지는 느낌 놀이 신발

활동 목표 :퐁퐁 터지는 재미있는 느낌의 종이 신발을 만들어 보자

준비물 : 머메이드지. 색종이, 가위, 양면테이프, 에어캡, 스티커

활동 효과 : 대, 소근육 발달, 인지력 발달, 창의력발달, 시각, 촉각, 청각, 탐구력발달

활동 순서 :

1. 내 발이 어디 있는지 발가락은 몇 개인지 발가락 움직이기 놀이를 한 후 발에 모습을
그대로 머메이드지에 대고 그려준다.
2. 발 모양 종이를 실제보다 0.2센티미터 정도 크게 오린 후 발등에 고정할 긴 사각형도 함께 오린다. (가위질 도움주기, 치수는 아이 발등에 맞춘다)
3. 에어캡을 양면테이프로 붙여주고 함께 오려준다.
4. 스티커와 색종이로 슬리퍼 발등을 예쁘게 꾸며준다.

5. 신발을 신고 뛰어보고 에어캡이 발바닥에서 퐁퐁 터지는 느낌을 몸짓과 소리로 표현해 본다.
6. 손에 껴보거나 볼에도 대보며 발에서의 느낌과 무엇이 다른지 아이가 느껴보도록 해준다.

TIP :
1. 걸음마 전의 아이는 에어캡을 크게 잘라 그 위에서 몸으로 느낌을 느끼고 관찰하게 해도 충분하다.
2. 종이 신발을 너무 크게 만들면 벗겨져 넘어질 수 있으니 딱 맞는 크기로 만든다.

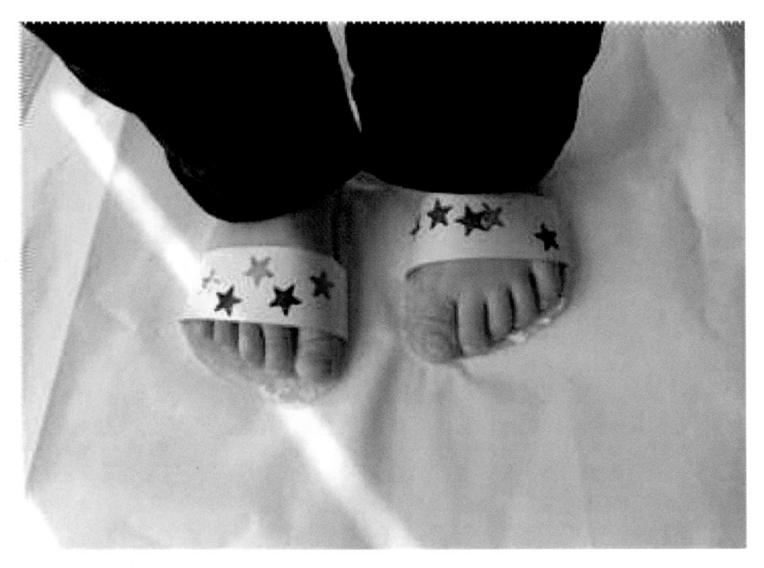

<완성작>

TIP ⇨

손으로 만든 예쁜 꽃밭

활동 목표 : 색종이로 손 모양을 오려 예쁜 꽃밭을 만들어 본다.

준비물 : 전지, 색종이, 가위, 도배용 풀, 물감

활동 효과 : 소, 대근육 발달, 청각, 시각, 촉각 발달, 창의력발달, 입 체력 발달, 인지력 발달, 공간구성력발달

활동 순서

1. 내 손은 어떻게 생겼는지 손바닥, 손가락, 손등의 이름을 알고 살펴본 후, 색종이 위에 손을 대고 그려준다.
2. 그려준 색종이와 여러 장의 색종이를 겹쳐 함께 오리면 여러 장의 손 모양 꽃을 만들 수 있다.
3. 아이의 키에 맞춰 벽이나 바닥에 전지를 붙여준다.
4. 물감에 도배용 풀이 섞이는 과정을 보여주며 함께 섞어본다.
5. 도배용 풀이 섞인 세 가지 색의 물감(빨강, 노랑, 파랑)으로 꽃밭의 느낌을 상상하며 자유롭게 칠하게 해준다.
6. 손 모양 꽃이 된 색종이를 다양한 위치에 붙여본다.
7. 완성된 아름다운 꽃밭을 배경으로 사진을 찍어보며 완성!

TIP

1. 선생님이나 엄마의 손도 함께 그려 오리면 다양한 크기의 꽃을 붙일 수 있다.

2. 아이가 좋아한다면 손에 물감을 발라 찍어준다면 더할 나위 없이 즐거운 수업이 될 수 있다.

<완성작>

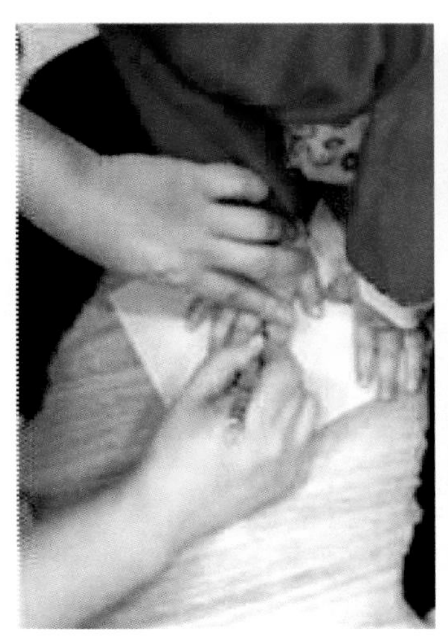

반짝! 관찰하고 깨달아요. 3

OHP의 특성과 질감을 통하여 시각과 청각 등의 다양한 오감을 충족시킬 수 있다. 투명한 OHP의 변신을 통해 아이의 상상력과 감각 능력을 키운다.

OHP로 나만의 액자를 만들어요.

활동 목표 : OHP의 투명하고 매끈한 특성을 알고 지점토와 물감으로 액자를 만들자
준비물 : OHP, 투명 테이프, 데코레이션점토, 목공풀, 물감, 끈, 사진, 우드락
활동 효과 : 대, 소근육 발달, 인지력 발달, 창의력발달, 시각, 촉각, 청각, 탐구력발달
활동 순서

1. OHP를 만져보고 펄럭여 보고 소리도 들어보며 탐색해 본다.
2. 우드락에 사진을 올리고 사진보다 1~2cm 크게 오려둔 OHP를 사진에 올린 후 투명 테이프를 붙인다.
3. 사진이 잘 붙었나 흔들어 보고 사진 위에 OHP가 올려졌을 때 촉감이 어떤지 만져본 후, 사진 바깥 부위를 목공풀로 발라준다.
4. 점토를 마음대로 떼어내고 주물러 보며 하나씩 목공풀

위에 붙여본다.

5. 점토를 손가락으로 꾹꾹 눌러도 보고 자국도 내어본 후 물감으로 다양하게 색칠하며 어떻게 느낌이 달라지는지 느껴본다.

6. 예쁘게 색칠한 후 고리를 달아주고 완성!

TIP:

1. 손에 물감이 묻는 것을 좋아하는 아이들은 점토에 물감을 짜서 그대로 붙여주면 더욱 재미있는 오감 체험을 할 수 있다.

2. 점토에 색칠할 때 붓이 아닌 손가락으로 물감을 묻혀 칠해도 좋다.

<완성작>

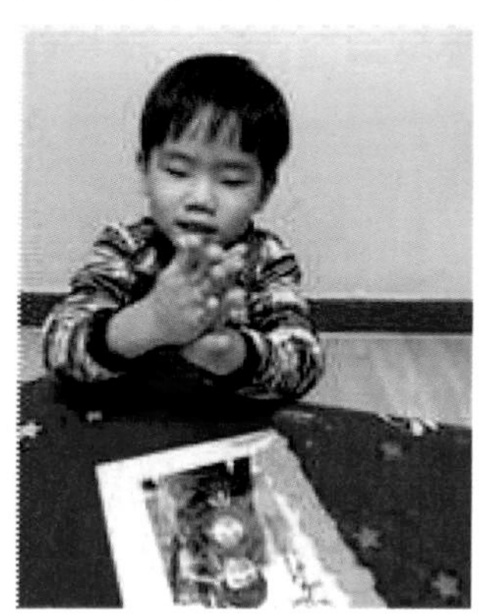

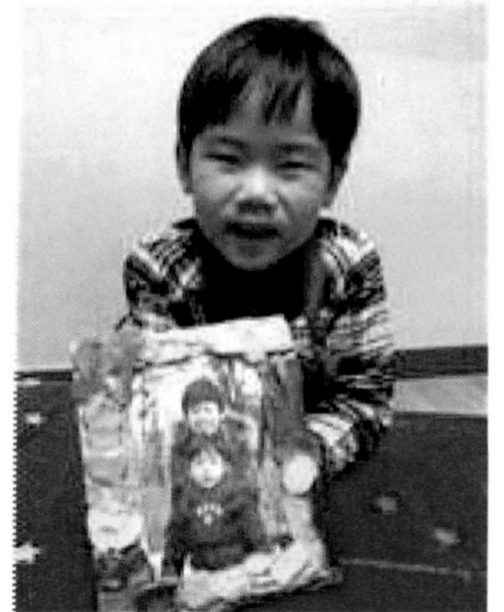

스테인드글라스 물고기 모빌

활동 목표 : OHP로 스테인드글라스 기법을 통한 알록달록 모빌을 만들어 보자
준비물 : OHP, 유성 매직, 스티커, 펀치, 리본, 쿠킹포일, 가위
활동 효과 : 소근육 발달, 청각, 시각, 촉각 발달, 창의력 발달, 입체력 발달, 공간구성력발달, 올바른 식습관 발달
활동 순서

1. OHP에 물고기 모양의 그림을 그려준다.
2. 물고기 모양을 따라 가위로 오려준 후 끝부분에 맞춰 펀치로 구멍을 뚫어 준다.
3. 리본을 들고 몸에도 감아보고 촉감놀이를 하며 리본의 감촉을 탐색하는 놀이를 한다.
4. 리본 끝을 투명 테이프로 살짝 말아주어 OHP를 뚫은 구멍을 쉽게 통과할 수 있게 한다.
5. 아이가 흉내 내서 스스로 구멍을 찾아 주면 리본을 끼워주면 손뼉을 쳐주며 끝까지 할 수 있도록 북돋워 준다.
6. 유성 매직으로 예쁘게 색칠한다.
7. 앞뒷면을 색칠한 물고기 위에 스티커로 장식한다.
8. 쿠킹포일을 탐색하고 마구 찢어본다.
9. 쿠킹포일을 구겨 물고기 먹이를 만든다. (아이와 일그

러지는 표정도 함께 지어본다.)

10. 뭉치고 구겨진 포일을 밀어보고 던져보고 불며 놀이한다.

11. 쿠킹포일 밥을 물고기에게 먹여주며 올바른 식습관과 친구들에게 먹을 것을 양보하고 동생에게 간식을 먹여줄 때 이렇게 기쁜 마음이 생긴다는 것을 간접 체험할 수 있도록 한다.

12. 물고기 밥을 다 넣어주면 투명한 물고기 속에 가득한 밥을 보여주며 배부르게 밥을 만들어 먹여준 아이의 행동을 칭찬해 준다.

13. 벽에 걸어 완성한다.

TIP

1. 편식하는 아이라면 쿠킹포일이 아니라 색종이를 말아 함께 넣어주며 골고루 먹는 방법도 알려주기!

2. 물고기의 모습이 어떻게 생겼는지 사진이나 실물을 먼저 보여주도록 하면 훨씬 효과적이다.

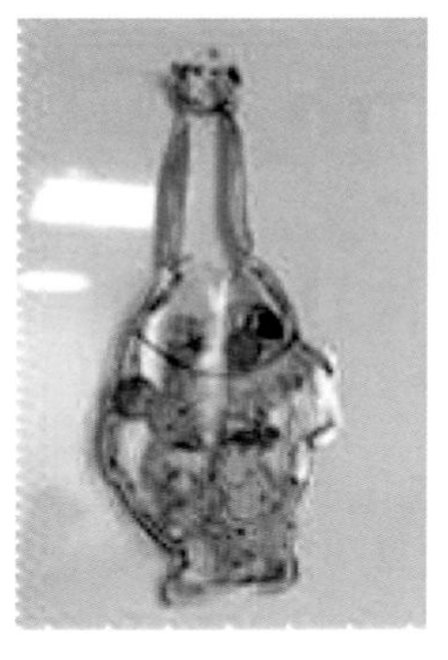

<완성작>

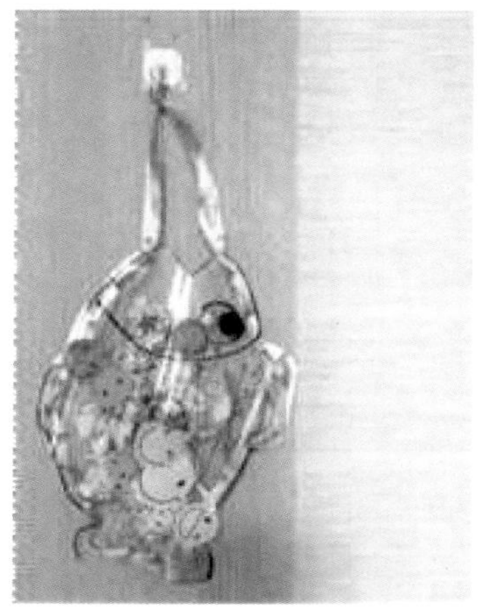

감각표현 2

딩동!

듣고 상상해요.

딩동! 듣고 상상해요. 1

페트병의 특징인 투명성을 활용하여 다른 재료와 응용한다. 다양한 재료의 소리와 향을 통해 상상력을 키운다.

기름과 물 사이에 스팽글을 찾아요.

활동 목표 : 기름과 물의 성질을 알고 우연히 생기는 모양들을 보며 상상력과 관찰력을 키워 준다.
준비물 : 페트병, 물, 기름, 스팽글, 투명 테이프, 스티커, 물감
활동 효과 : 대, 소근육 발달, 창의력발달, 관찰력, 후각, 청각, 시각, 촉각, 과학적 사고의 이해
활동 순서 :

1. 페트병을 재활용하여 깨끗하게 씻어 말리고 스팽글과 물감을 준비한다.
2. 물을 먼저 반 정도 채운 후 물감을 한 방울씩 떨어뜨려 물감이 물에 떨어지며 번지는 모습을 관찰한다.
3. 스팽글을 떨어뜨려 물에 뜨는 모습을 관찰한다.
4. 기름을 넣어 물과 섞이지 않는 모습을 관찰한다.
5. 스티커를 골고루 붙여 병을 꾸미고 뚜껑이 열리지 않도록 테이프로 밀봉한다.

6. 병을 흔든 후 제자리에 놓고 기름과 물이 나뉘는 모습과 스팽글이 부딪치는 소리와 움직이는 모습을 관찰하며 오감 놀이를 즐긴다.

7. 기름과 물을 이용한 오감 놀이 페트병 완성.

TIP:

물감의 양이 너무 많으면 스팽글이 잘 보이지 않으므로 한두 방울만 넣는다.

<완성작>

페트병 속의 오감 자석 놀이

활동 목표 : 자석의 성질을 알고 자석에 붙는 것과 붙지 않는 것이 어떤 것이 있는지 관찰하며 호기심을 키운다.
준비물 : 볼펜 몸통(재활용), 자석, 백업, 페트병, 모루, 클립, 눈알, 뽕뽕이
활동 효과 : 대, 소근육 발달, 관찰력발달, 상상력 발달, 인지력 발달, 청각, 시각, 촉각, 탐구력발달, 호기심, 집중력발달, 인내심 발달, 재료지배 능력 발달
활동 순서 :

(자석 막대 만들기)
1. 다 쓴 볼펜 몸통을 재활용하여 백업에 구멍을 내고 끼운다.
2. 자석을 글루건으로 붙여 자석 막대를 완성한다.

(오감 자석 놀이 병 만들기)
3. 잘게 색깔별로 자른 모루, 눈알, 뽕뽕이, 클립, 그 외 다양한 재료들을 만지고 탐색한다.
4. 자석 막대를 사용하여 어떤 재료가 붙는지 알아보며 재료탐색을 충분히 하며 논다.
5. 페트병 안의 재료를 하나씩 넣을 때 재료가 떨어지면서 어떤 소리가 나는지 듣는다.

6. 소리를 들어보고 달라지는 형태도 관찰하며 흔들고 탐색한다.
7. 자석 막대로 페트병의 몸통을 지나가게 하며 재료들이 어떤 모양으로 달라붙는지 탐색하면서 충분한 놀이 시간을 갖는다.
8. 오감 자석 페트병 완성.

TIP :
잘려진 모루의 끝부분이 뾰족하므로 끝부분을 구부려서 아이에게 제공한다.

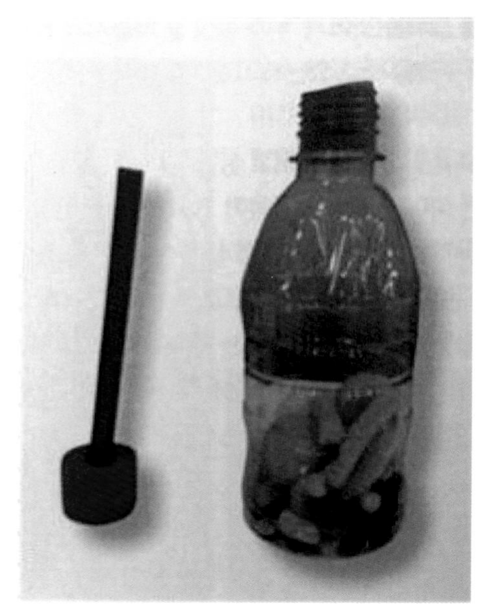

<완성작>

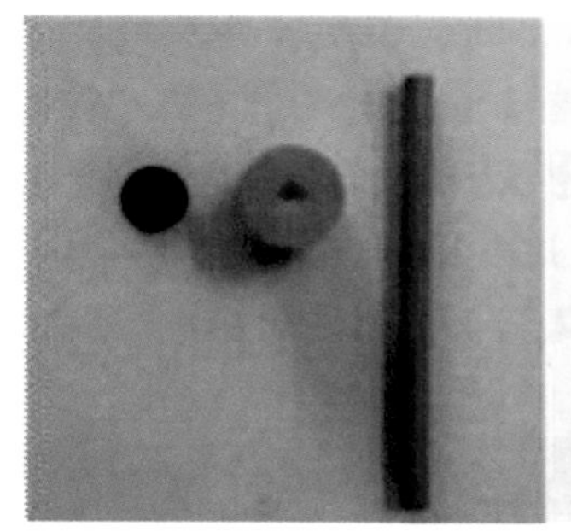
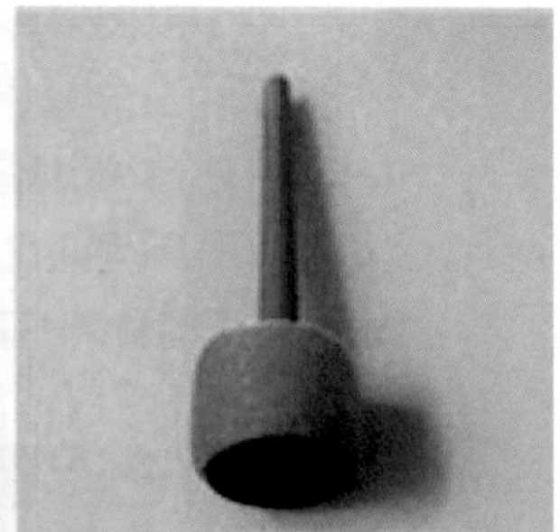

<자석 막대 만들기>

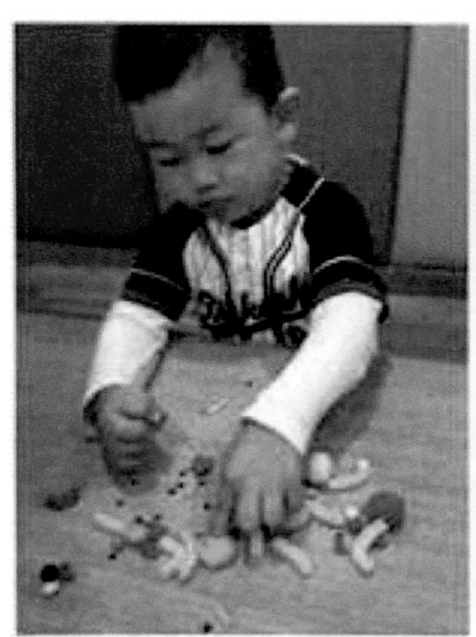

딩동! 듣고 상상해요. 2

솜으로 오감 놀이를 하며 솜의 특성과 느낌을 안다.
구름과 양을 만들어 감각 발달 및 상상력과 성취감을 키운다.

구름 솜으로 하늘의 구름을 만들어요.

활동 목표 : 솜의 폭신한 촉감을 통해 오감을 발달 놀이 방법을 배운다.
준비물 : 솜, 전지, 도배용 풀, 물감, 크레파스, 양면테이프
활동 효과 :대, 소근육 발달, 호기심 발달, 상상력 발달, 관찰력, 청각, 시각, 촉각 발달, 창의력발달, 재료지배 능력 발달
활동 순서 :

(하늘)
1. 솜을 뜯어보고, 뭉치며 소리를 듣고, 몸에 감아보며 신체 놀이를 한다.
2. 전지에 구름 모양으로 양면테이프를 붙이고 솜을 붙여 구름을 표현한다.
3. 만들어진 구름 위에서 자유롭게 앉아보고 밟아보며 탐색한다.

(바다)

4. 전지에 자유롭게 낙서하고 찢은 조각에 눈알을 붙여 물고기를 만든다.

5. 하늘을 만든 전지 아래에 도배용 풀과 파란색 물감을 섞어 발라 바다를 만든다.

6. 도배용 풀로 만든 바다에 물고기 모양의 조각을 찾아 붙여서 바다를 완성한다.

TIP :

1. 인위적인 물고기가 되지 않도록 아이들이 물고기처럼 보이는 조각을 스스로 찾아 눈알을 붙이게 한다.

2. 하늘과 바다의 사진 자료를 수업 전에 미리 보여준다.

<완성작>

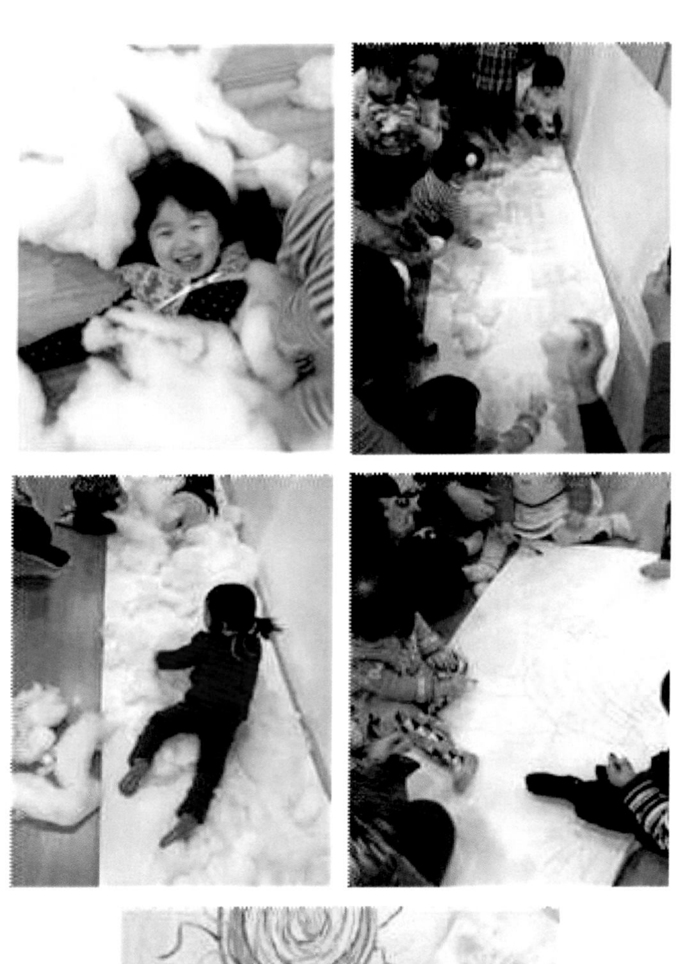

풀 먹는 양을 만들어요.

활동 목표 : 솜과 닮은 양을 만들어 풀을 먹여보자
준비물 : 검은색 화지, 양면테이프, 초록색 한지, 색종이, 딱풀
활동 효과 : 대, 소근육 발달, 관찰력발달, 창의력발달, 인지력 발달, 청각, 시각, 촉각, 탐구력발달, 호기심, 집중력 발달, 인내심 발달, 재료지배 능력 발달
활동 순서 :

1. 검은색 도화지에 원하는 양의 크기대로 동그라미를 그린다.
2. 동그라미 안을 양면테이프로 테두리를 붙이고 가운데는 고정이 될 정도만 붙이고 공간을 비워둔다.
3. 솜을 만지며 소리를 듣고 밟아보며 촉감을 느낀다.
4. 양면테이프를 떼고 솜을 눌러 붙인다.
5. 색종이에 양의 얼굴을 동그랗게 잘라 솜 위에 붙인다.
6. 초록색 한지를 찢어 풀밭을 꾸며주고, 양에게 풀을 먹여준다. (한지가 찢어지는 소리 듣기)
7. 솜 밑에 비워둔 공간에 먹인 풀을 넣을 수 있도록 공간을 만든다. (양이 풀을 먹는 소리를 흉내 내기)
8. 솜을 덮어서 배가 부른 양이 풀을 먹고 있는 모습을 완성한다.

TIP :

1. 풀을 과하게 솜 안에 넣으면 빠져나올 수 있다.
   적당히 넣은 후 양이 배부르다는 것을 설명한다.

<완성작>

딩동! 듣고 상상해요. 3.

비눗방울이 터지는 소리와 다양한 모습을 관찰하고 재미있는 놀이 과정을 통해 창의력과 상상력을 키워보자.

톡! 톡! 톡! 비눗방울 그림

활동 목표 : 색깔 비눗방울 그림으로 우연한 무늬를 발견하여 상상력을 키워요.

준비물 : 주방세제, 물감, 종이컵, 빨대, 4절 도화지 또는 전지, 크레파스, 눈알, 스티커

활동 효과 : 대, 소근육 발달, 호기심 발달, 상상력 발달, 관찰력, 청각, 시각, 촉각 발달, 집중력발달, 창의력발달, 재료지배 능력 발달

활동 순서 :

1. 종이컵에 물, 주방세제, 물감을 넣어 잘 저어주어서 색깔 비눗방울을 만든다.
2. 빨대를 종이컵에 넣고 불어 보글보글 올라오는 비눗방울의 소리와 형태를 관찰한다.
3. 빨대를 길게 이어 붙여 비눗방울이 크게 올라오다가 떨어지는 모습을 관찰한다.

4. 비눗방울을 손에 올려 보며 톡톡 터지는 느낌과 모습을 관찰한다.
5. 도화지에 비눗방울을 불거나 떨어뜨려 자연스럽게 사라지거나 터지는 모습을 탐색한다.
6. 비눗방울의 흔적을 살펴보며 무엇과 닮았는지 이야기하고 스티커나 눈알 등으로 아이가 원하는 모습으로 변신시켜 완성한다.

TIP:
1. 형태가 나타나지 않아도 놀이로써 충분히 즐기는 것이 포인트!
2. 처음엔 빨대를 불지 않고 마실 수 있으므로 빨대로 충분히 불기 연습을 한 후 하도록 한다.

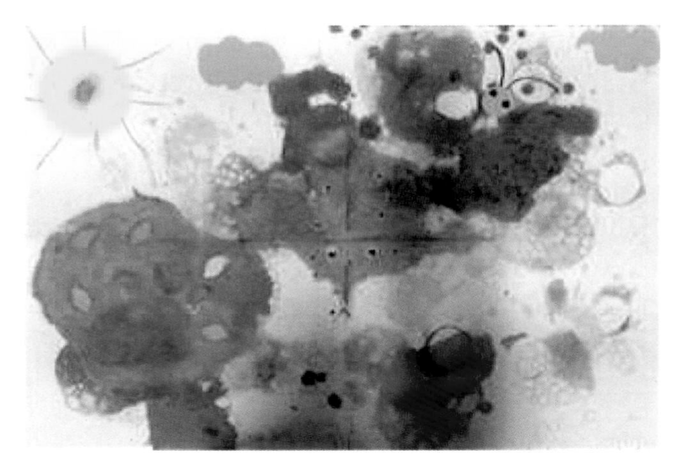

<완성작>

신기한 색깔 판화 그림

활동 목표 : 아세테이트지에 물감과 주방세제를 사용하여 재미있는 색 판화를 만들어요.
준비물 : 물감, 주방세제, 평붓, 8절 도화지, 나무젓가락 및 긁을 수 있는 다양한 소재
활동 효과 : 대, 소근육 발달, 관찰력발달, 상상력 발달, 인지력 발달, 청각, 시각, 촉각, 탐구력발달, 호기심, 집중력발달, 인내심 발달, 재료지배 능력 발달

활동 순서 :

1. 아세테이트지를 책상이나 바닥에 넓게 깔아 자유롭게 오감 놀이를 할 수 있도록 준비한다.
2. 물감을 아세테이트지 위에 동전 크기로 짜고 주방세제를 2~3방울 떨어뜨린다.
3. 붓으로 자유롭게 칠하면서 마찰 소리를 듣는다.
4. 나무젓가락을 이용하여 자유롭게 선을 그어 마찰 소리에 따라 어떤 모양이 생기는지 듣고 관찰한다.
5. 질감을 표현할 수 있는 다양한 다른 재료도 사용하고 물감도 다양한 색으로 바꾼다.
6. 도화지를 올려 찍어내어 다양한 판화 그림을 완성한다.

TIP :

먼저 도화지에 다양한 색을 칠해주고 (색 도화지도 가능) 먹물로 활동한 후 찍어내면 색이 함께 어우러져 더욱 멋진 작품을 관찰할 수 있다.

<완성작>

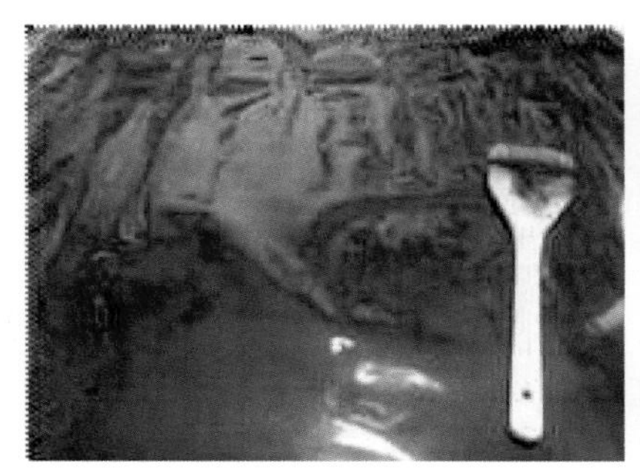

⇦ TIP

감각표현 3

킁킁!

맡아보고 기억해요.

킁킁! 맡아보고 기억해요. 1

고소한 향이 나는 감자 전분은 물에 잘 녹는 성질을 가지고 있어 호기심과 오감을 충족시키기에 훌륭한 재료다. 촉촉하고 부드러운 전분으로 성취감과 상상력을 키우자.

주르륵주르륵 무지개 전분 놀이

활동 목표 : 전분 가루에 물과 물감을 섞어 차례로 변화하는 과정을 놀이와 경험한다.
준비물 : 감자전분, 전지, 비닐, 물, 물감, 검은 도화지, 색종이, 스티커
활동 효과 : 대, 소근육 발달, 호기심 발달, 상상력 발달, 관찰력, 청각, 시각, 촉각 발달, 집중력발달, 창의력발달, 재료지배 능력 발달
활동 순서 :

1. 색종이를 사선으로 반을 잘라 삼각형을 만들고 반을 접어 배를 접는다.
2. 배에 스티커나 그림을 그려 꾸며준다.
3. 감자전분 가루를 만져보고 밟으며 느낌을 체험한다.
4. 물을 부었을 때 변하는 모습과 물감을 넣었을 때 어떻게 섞이는지 문지르고 자유롭게 신체 놀이를 하며 탐색

놀이를 한다.
5. 물감이 섞여 무지개처럼 우연적인 무늬가 나오면 검은 도화지로 찍어 어떤 모양이 나왔는지 확인한다.
6. 무지개가 파도처럼 찍힌 검은 도화지에 접어둔 배를 붙여 완성한다.

TIP:
1. 바다와 무지개의 모습을 사진이나 책을 통해 미리 알 수 있도록 한다.
2. 채반을 준비해 감자 전분이 비처럼 주르륵 떨어지는 모습을 관찰하도록 한다.

<완성작>

전분과 야채로 피자를 만들어요.

활동 목표 : 전분이 야채와 만나 피자처럼 굳어지는 모습을 관찰해요.

준비물 : 라이스페이퍼, 감자전분, 야채, 물

활동 효과 : 대, 소근육 발달, 관찰력발달, 상상력 발달, 인지력 발달, 청각, 시각, 촉각, 탐구력발달, 호기심, 집중력발달, 인내심 발달, 재료지배 능력 발달

활동 순서 :

1. 감자 전분을 볼에 담아 가루를 만지고 뿌려보며 탐색한다.
2. 라이스페이퍼에 물에 녹인 감자 전분을 주르륵 떨어뜨린다.
3. 무엇을 닮았나 이야기하며 색깔별로 각종 야채를 토핑한다.
4. 색깔별로 골고루 야채를 가득 올린다.
5. 전자레인지에 10초 데워 어떻게 향기와 모양을 탐색한다.

TIP :

1. 감자 전분이 익지 않았으므로 먹지 않고 피자 놀이로 끝나도록 한다.

2. 아이가 즐겁게 가루 놀이를 하고 싶어 한다면 욕실에서 신나게 놀아준다.
3. 감자전분은 물에 잘 녹고 세척 효과가 있어 욕실에서 놀기에 좋다.

<완성작>

킁킁! 맡아보고 기억해요. 2

> 마카로니의 다양한 변화를 통해 물질의 성질과 특성을 관찰하고 오감을 발달시킨다.

내가 만든 마카로니 요리

활동 목표 : 편식과 군것질을 좋아하는 아이에게 마카로니로 음식을 만들어 그림 친구에게 골고루 먹여보고 올바른 식습관과 엄마의 마음을 이해하는 시간을 가진다.
준비물 : 도화지, 색 도화지(레드), 크레파스, 색종이, 마카로니, 물, 딱풀, 가위, 비닐, 비닐봉지, 테이프
활동 효과 : 대, 소근육 발달, 호기심 발달, 상상력 발달, 올바른 식습관 발달, 후각, 청각, 시각, 촉각, 미각 발달, 배려심 발달
활동 순서 :

1. 도화지에 큰 원을 그리고 눈과 코를 그린다.
2. 입을 만들어 뒷면에 비닐봉지를 붙인다. (입 만들기 : 색 도화지로 대문 접기> 모서리를 접어서 완성)
3. 마카로니를 물에 불려 말랑해지면 향기와 모양이 어떻게 변하는지 탐색한다.
4. 색종이 위에 딱풀을 바르고 마카로니를 얹는다.

5. 마카로니 위에 색종이로 야채를 만들어 직접 올리고 돌돌 말아 붙인다.
6. 아이가 좋아하는 음식을 마카로니로 활용해서 다양하게 만든다.
7. 그림 친구에게 직접 골고루 먹여준다.
8. 친구가 무엇을 먹었는지 보면서 편식하지 않고 음식을 먹자고 약속한다.

TIP :
입을 만들 때 음식이 입으로 통과해서 비닐 안에 잘 들어가는 모습이 보이도록 투명 비닐을 사용한다.

<완성작>

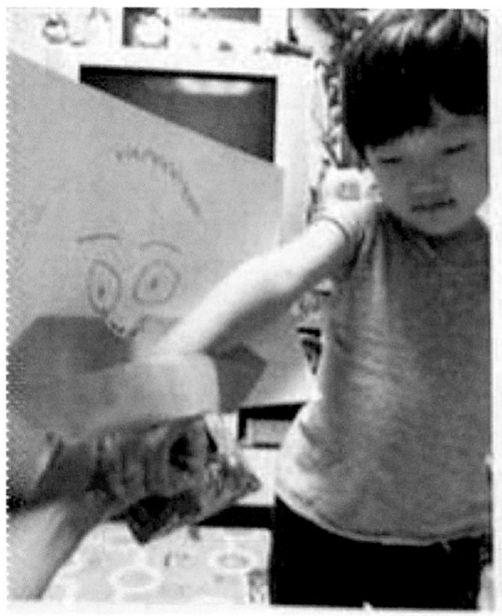

마카로니 모래놀이

활동 목표 : 집에서 모래놀이할 수 있도록 마카로니 놀이터를 만들어 오감 놀이를 즐겨보자
준비물 : 식용색소, 마카로니, 지퍼백, 모형 곤충, 기타(흙놀이 장난감, 그릇)
활동 효과 : 대, 소근육 발달, 관찰력발달, 상상력 발달, 인지력 발달, 후각, 청각, 시각, 촉각, 미각 발달, 탐구력발달
활동 순서 :

1. 마카로니가 노란색을 띠므로 파란색, 빨간색 두 가지 식용색소를 사용해도 3색을 만들 수 있다.
2. 지퍼백에 식용색소와 물을 넣어 잘 섞어준다.
3. 마카로니를 넣어 염색되도록 흔들어 주면서 색이 변하는 과정과 소리를 듣는다.
4. 물기만 살짝 빠지도록 채반에 잠깐 둔다.
5. 물기가 어느 정도 빠지면 뭉치지 않도록 넓게 펴서 말려둔다.
6. 하루 정도 지나 다 염색이 완성된 마카로니를 통에 넣어 섞어준다.
7. 모형 곤충을 준비하면 곤충 찾기 놀이를 할 수 있다.
8. 흙 놀이 삽, 그릇, 곤충 등 모래놀이를 즐겁게 할 수

있는 장난감 등을 넣어준다.
9. 완성된 실내 모래 놀이터로 즐거운 마카로니 놀이를 즐긴다.

TIP :
마카로니를 넓게 펴서 말리지 않으면 마카로니가 뭉친 채로 붙어서 떼어내기가 힘들다는 것을 유의한다.

<완성작>

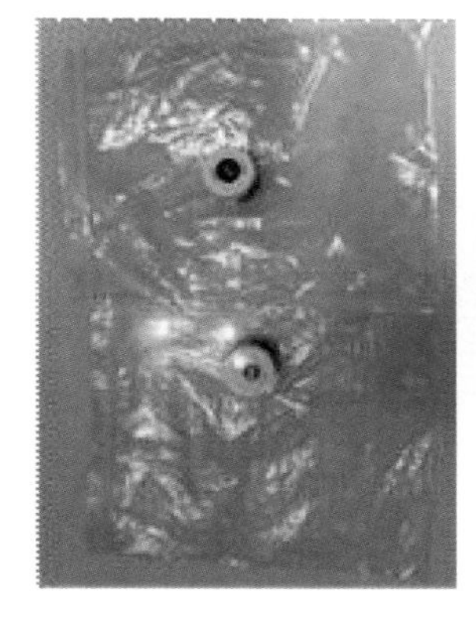

킁킁! 맡아보고 기억해요. 3

꽃과 나뭇잎으로 모빌과 부채를 만들며 오감 놀이를 한다. 자연물의 향기와 변신을 통해 상상력과 감각을 발달시킨다.

꽃잎과 나뭇잎으로 모빌을 만들어요.

활동 목표 : 자연물의 생김새를 관찰하고 예쁜 모빌을 만들어 보자

준비물 : 꽃, 나뭇잎, 물 스프레이, 점토, 빨대, 끈

활동 효과 : 대, 소근육 발달, 상상력 발달, 인지력 발달, 창의력발달, 후각, 촉각, 청각, 탐구력발달

활동 순서 :

1. 아이들과 함께 마음에 드는 꽃과 나뭇잎을 채집하여 향기와 모양을 탐색한다. (탐색 놀이 : 색깔이나 크기별로 관찰하기)
2. 깨끗한 화지나 신문지 등에 넣어 압축하여 1~2일 정도 반건조시킨다.
3. 손가락이나 도구 등을 사용해 점토를 관찰하고 만지고 눌러보며 탐구한다.
4. 점토를 원하는 모양으로 만든 후 위를 물 스프레이를 뿌려 촉촉이 적셔준다.

5. 물 스프레이를 뿌린 후 흙을 만졌을 때의 미끈거리는 느낌을 말과 표정으로 표현해 본다.
6. 물이 발려진 점토 위를 꽃과 나뭇잎을 마음대로 놓아 본다.
7. 꽃과 나뭇잎을 붙여 완성하면 빨대로 구멍을 뚫어 끈을 넣어줄 구멍을 만들어 준다.
8. 하루 정도 건조하고 끈을 달아 완성한다.

TIP :

1. 꽃잎을 완전 건조를 시키면 아이들이 만졌을 때 부스러질 수 있으므로 반건조 상태가 좋다.
2. 점토에 물을 묻히면 풀을 바르지 않아도 꽃과 나무가 붙는 과정을 아이는 즐거워한다. 그때 아이의 감정을 놓치지 않고 읽어준다.

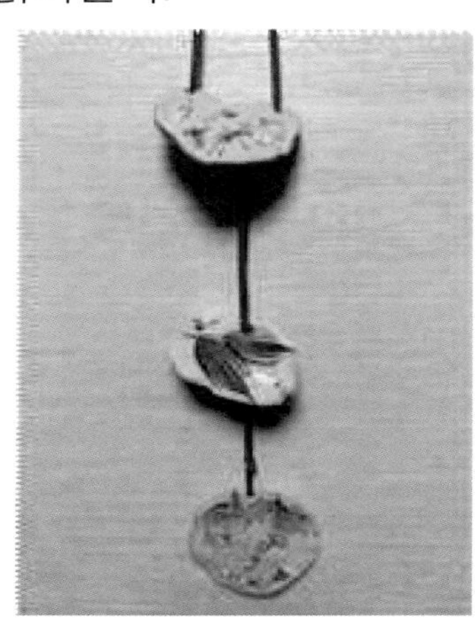

<완성작>

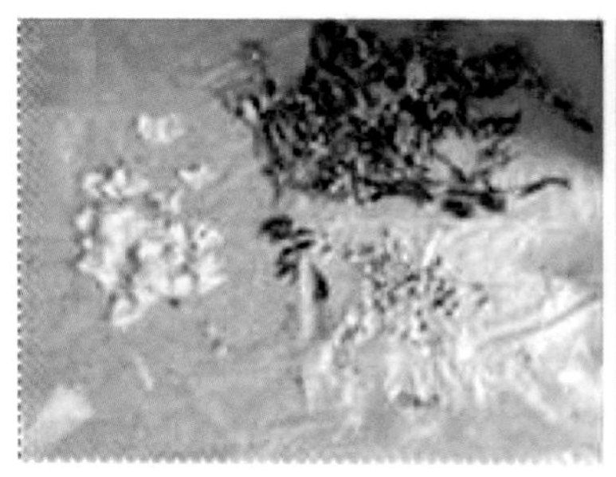

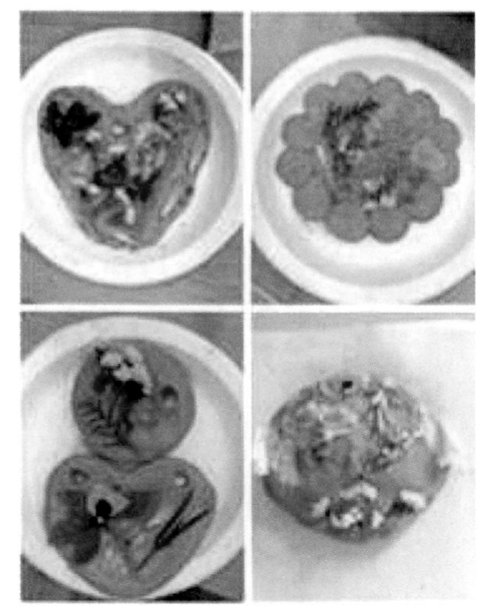

시원한 꽃부채를 만들어요.

활동 목표 : 예쁜 꽃과 나뭇잎으로 시원한 부채를 만들어 보자
준비물 : 손 코팅지, 꽃, 나뭇잎, 일회용 숟가락, 스티커
활동 효과 : 소근육 발달, 청각, 시각, 촉각 발달, 창의력 발달, 공간구성력 발달, 인지력 발달, 재료지배 능력발달
활동 순서 :

1. 나뭇잎과 꽃을 준비하여 반건조시킨다.
2. 손 코팅지의 미끈거리는 느낌과 흔들었을 때 펄럭거리는 소리를 들어보며 탐구한다.
3. 꽃과 나뭇잎의 향기와 모양을 탐색하며 느낌을 대화한다.
4. 손 코팅지 위에 꽃과 나뭇잎을 즐겁게 배열해 보도록 한다.
5. 코팅지의 맨 끝에 가운데 부분에 일회용 숟가락을 엎어놓고 코팅지를 접어 잘 붙도록 눌러준다.
6. 코팅지를 눌러서 압축했을 때 안에 들어간 꽃과 나뭇잎이 변한 모양에 대해 질문하며 아이가 스스로 관찰하도록 유도한다.
7. 코팅지 끝부분을 원하는 모양으로 둥글게 잘라준 후 스티커 등으로 예쁘게 꾸민다.

8. 부채를 부쳐보며 시원한 바람이 부는지 체험하고 완성한다.

TIP :

1. 꽃잎과 나뭇잎이 모양이 자세히 어떻게 생겼는지 부채를 가까이 보며 근접 관찰하도록 유도한다면 관찰력을 키울 수 있다.

2. 부채 끝부분에 색종이를 길게 잘라 붙여주면 부채를 부칠 때마다 함께 흔들리는 색종이의 느낌이 아이의 호기심을 부를 수 있다.

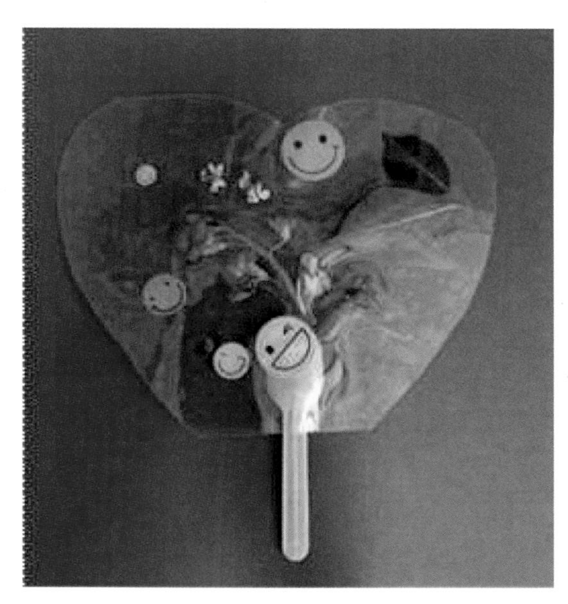

<완성작>

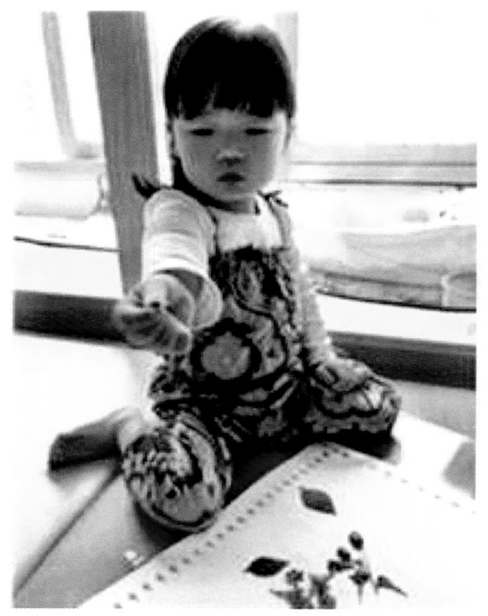

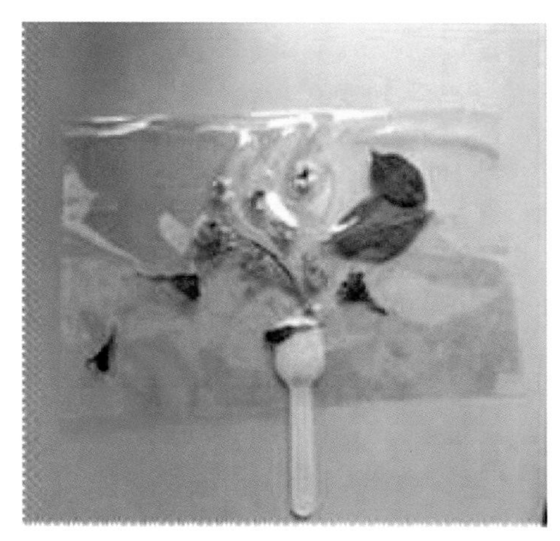

감각표현 4

냠냠!

맛보고 느껴요.

냠냠! 맛보고 느껴요. 1

아이에게 친근한 과일과 야채로 과일꼬치와 야채 삼색 주먹밥을 만든다. 음식을 만들며 색과 맛을 통해 오감을 발달시킨다.

향긋 달콤한 과일꼬치를 만들어요.

활동 목표 : 과일의 모습과 다른 단면을 관찰하고 꼬치에 꽂아 집중력과 구성의 아름다움을 배운다.
준비물 : 제철 과일, 안전 칼(어린이용), 꼬치용 막대, 접시
활동 효과 : 대·소근육 발달, 호기심 발달, 상상력 발달, 관찰력, 후각, 청각, 시각, 촉각, 미각, 집중력, 구성력발달
활동 순서 :

1. 다양한 모양과 색의 제철 과일을 준비한다.
2. 꼬지만 대는 아이들이 다치지 않도록 뾰족한 부분을 잘라서 준다.
3. 과일의 이름을 익히고 들어간 부분과 나온 부분을 만지고 과일에 달린 잎과 꼭지를 자세히 관찰한다.
4. 어떤 맛이 나는지 표정과 동작으로 표현한다.
5. 부드러운 과일부터 안전 칼로 자르게 한다. (딱딱한 과일은 자르기 좋게 잘라서 준다)

6. 잘린 과일의 단면을 보며 겉과 속이 무엇이 다른지 탐색한다.
7. 꼬치에 과일을 차근차근 꽂아 예쁘게 만든다.
8. 끝까지 잘 꽂아 완성하면 맛있게 먹도록 한다.

TIP :
1. 과일을 자른 껍질을 모아 감촉을 느끼고 어떤 과일의 껍질인지 찾는 놀이를 한다.
2. 껍질을 모아 재미있는 모양을 만들자.

<완성작>

⇧ TIP

야채로 만든 맛있는 삼색 주먹밥

활동 목표 : 야채를 좋아하지 않는 아이들에게 예쁜 색으로 직접 만들게 하여 야채를 맛있게 먹을 수 있도록 돕고 야채의 이름과 맛을 알도록 한다.

준비물 : 붉은색 야채(단 호박, 당근, 파프리카), 초록색 야채(시금치, 브로콜리, 피클), 노란색 야채(단무지, 달걀, 옥수수 콘), 양파, 깨소금, 참기름, 치즈, 밥, 접시, 주먹밥 틀

활동 효과 : 대·소근육 발달, 관찰력발달, 상상력 발달, 인지력 발달, 미각, 청각, 시각, 촉각, 탐구력발달, 호기심, 집중력발달, 인내심 발달, 재료지배 능력발달, 협동력 발달

활동 순서 :

1. 손을 깨끗하게 씻고 잘게 다진 야채와 재료를 색깔별로 구분하여 준비한다.
2. 야채와 과일의 특징을 설명하고 야채의 색깔과 모양을 만져보며 관찰한다.
3. 볶은 양파와 깨소금, 참기름을 밥에 넣어 간을 하고 버무린다.
4. 색깔을 구분하여 조금씩 나누어 그릇에 담아 손으로 버무린다.

5. 주먹밥 틀에 담아 찍어 모양을 내어 예쁘게 접시에 직접 담아 완성한다.

TIP :
아이들이 접시에 예쁘게 담지 못하더라도 칭찬해 주며 직접 꾸미도록 격려한다.

<완성작>

냠냠! 맛보고 느껴요. 2

소금을 맛보고 관찰하며 오감 놀이를 한다.
소금이 변하는 과정을 통해 창의력을 쑥쑥 키워보자.

색 소금으로 예쁜 화병을 만들어요.

활동 목표 : 손으로 느껴지는 감각으로 상상력을 키우고 색이 입혀지는 과정을 관찰한다.
준비물 : 도화지, 빈 병, 파스텔, 소금
활동 효과 : 대, 소근육 발달, 인지력 발달, 창의력발달, 미각, 시각, 촉각, 청각 발달
활동 순서 :

1. 소금의 색이 어떤 색인지 소금은 어떤 모양인지 자세히 관찰하고 맛을 보며 느낌을 얘기한다.
2. 좋아하는 색을 선택하여 파스텔을 도화지에 자유롭게 칠한다.
3. 소금을 뿌려 파스텔과 함께 신나게 노래를 부르며 손바닥으로 문지르고 비벼 촉감을 느낀다.
4. 같은 방법으로 여러 가지 색을 입혀 유리병에 담아 예쁜 색 소금을 완성한 후 리본을 달아
완성!

TIP :

1. 한 단계씩 층층으로 쌓인 소금을 탐색하는 과정을 놓치지 말자! 이 과정은 아이들 눈에는 굉장히 흥미롭다.
2. 소금을 부을 때 고깔 모양으로 종이를 접어 입구에 붙이고 소금을 넣으면 훨씬 쉽게 넣을 수 있다.
3. 종이꽃을 접어 꽂아주면 예쁜 꽃병으로 장식할 수 있다.

<완성작>

⇧ TIP

색 소금으로 케이크를 만들어 보아요!

활동 목표 : 색 소금으로 예쁜 케이크를 만들자.
준비물 : 색 소금, 지점토, 컵, 비닐, 양초, 물감(선택)
활동 효과 : 공간 감각 발달, 소근육 발달, 청각, 시각, 촉각 발달, 창의력발달
활동 순서 :

1. 지점토를 떼어보고 문질러보고 냄새도 맡아보고 찔러도 보며 어떻게 생겼는지 탐색한다. (지점토가 차가워서 만지는 것에 거부감이 있다면 다른 도구를 사용하여 찔러보며 탐구하는 것도 좋다)
2. 비닐에 색 소금과 지점토를 함께 넣어 컵 모양에 맞게 넣은 후 뒤집어 뺀다.
3. 컵 모양으로 케이크 모양이 나온 지점토에 다른 색 소금을 뿌려주거나 물감을 찍는다.
4. 양초를 아이가 자유롭게 꼽을 수 있도록 한다.
5. 접시에 담아 완성! 생일 축하 노래를 하며 마무리한다.

TIP :
1. 지점토를 만지기 두려워한다면 큰 덩어리보단 작게 잘라 탐구하도록 한다.
2. 양초에 불을 붙이면 위험할 수 있는 상황이라면 종이

로 불 모양을 잘라 붙여줘도 좋다.
3. 삐뚤게 꽂더라도 아이가 혼자 스스로 초를 꼽고 꾸미는 모습을 칭찬해 준다.

<완성작>

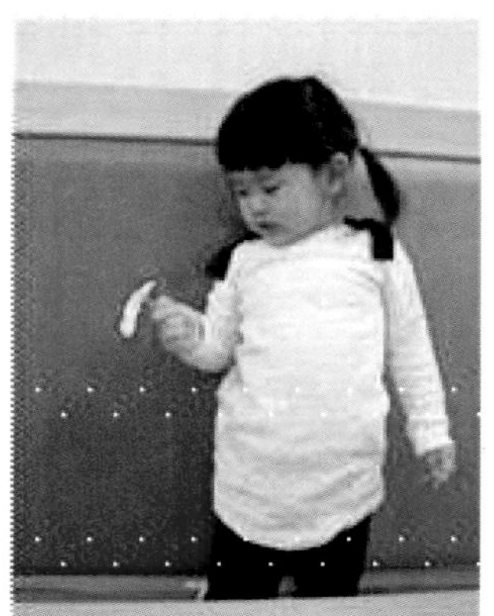

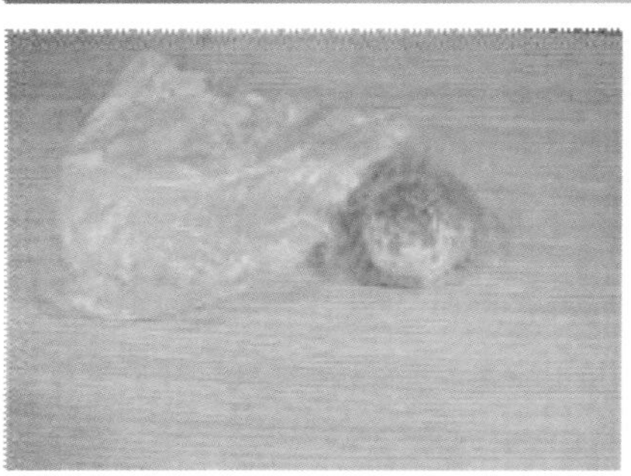

냠냠! 맛보고 느껴요. 3

천연 재료를 사용하여 천연 클레이 점토를 만들고 점토 반죽의 변형 과정을 체험하며 오감을 발달시킨다.

말랑말랑 천연 클레이 점토를 만들어요.

활동 목표 : 천연 재료를 사용하여 클레이 점토를 만든다.
준비물 : 밀가루(종이컵 2개 양), 타르타르 크림 파우더(1스푼), 식용색소, 비닐봉지, 지퍼백, 따뜻한 물, 접시, 소금
활동 효과 : 대, 소근육 발달, 관찰력, 미각, 시각, 촉각 발달, 창의력발달, 재료지배 능력발달, 언어발달
활동 순서 :

1. 밀가루를 탐색한 후 비닐봉지에 밀가루를 담는다.
2. 타르타르 크림 파우더를 1스푼 첨가한다.(티스푼 2개)
3. 따뜻한 물을 1컵 넣고 소금 1스푼을 넣은 후 입구를 잘 묶은 후 잘 섞이도록 한다.
4. 식용색소를 넣고 반죽이 잘되도록 주무른다.
5. 반죽이 잘되면 동그랗게 말아 사용할 수 있도록 한다.
6. 지퍼백에 담아 냉장 보관한다.
7. 필요할 때마다 꺼내어 놀 수 있다.

TIP :

1. 잘 밀봉하여 백반을 조금 넣어 냉장 보관하면 더 오래 보관할 수 있다.

2. 다양한 색깔의 수제비를 만들 수 있다.

<완성작>

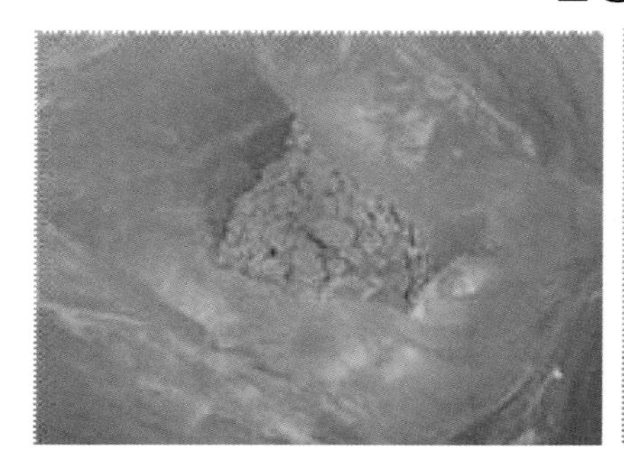

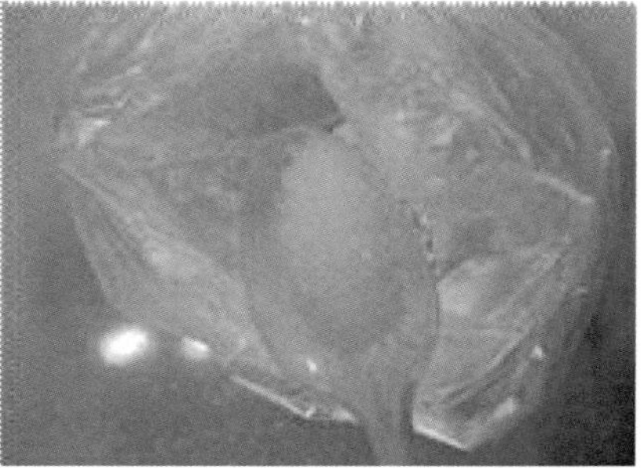

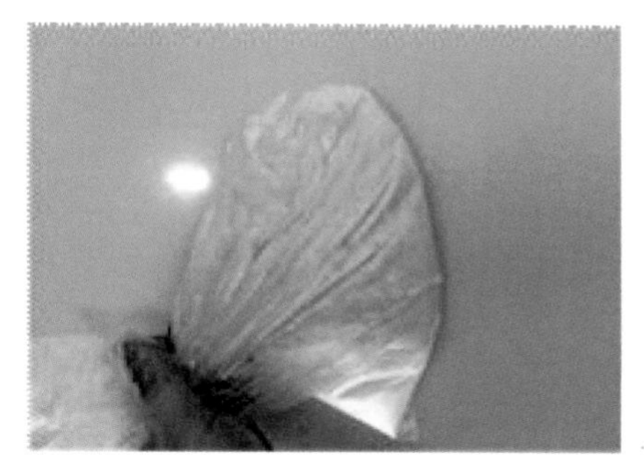

TIP ⇨

재미있는 얼굴과 곡식롤 김밥

활동 목표 : 천연점토로 동물 모양과 롤 김밥을 만들어 재료의 변화를 관찰한다.
준비물 : 천연점토, 색 접시, 쿠킹포일, 곡식
활동 효과 : 대, 소근육 발달, 관찰력발달, 상상력 발달, 인지력 발달, 청각, 시각, 촉각, 탐구력발달, 호기심, 집중력발달, 인내심 발달, 재료지배 능력발달
활동 순서 :

(곡식 롤 김밥)
1. 점토에 물을 약간 섞어 촉촉하게 만든 후 쿠킹포일에 점토를 밀어붙인다.
2. 다양한 곡식을 탐색하고 솔솔 뿌려보고 톡톡 받아도 보며 점토 위에 곡식이 박힌 모습과 촉감을 탐색한다.
3. 포일을 돌돌 말아서 꾹꾹 눌러준다.
4. 가위로 잘라서 곡식이 떨어지고 박혀있는 모습을 관찰하며 예쁘게 쌓아본다.
5. 곡식 롤 김밥 완성
(재미있는 얼굴)
1. 점토를 꾹꾹 눌러보고 쌓아보며 탐색한다.
2. 색 접시에 눈, 코, 입을 붙여 얼굴 모양, 또는 동물 모양을 완성한다.

TIP :

1. 색 점토를 전자레인지에 30초~1분 정도 돌려주면 금방 굳는다.

<완성작>

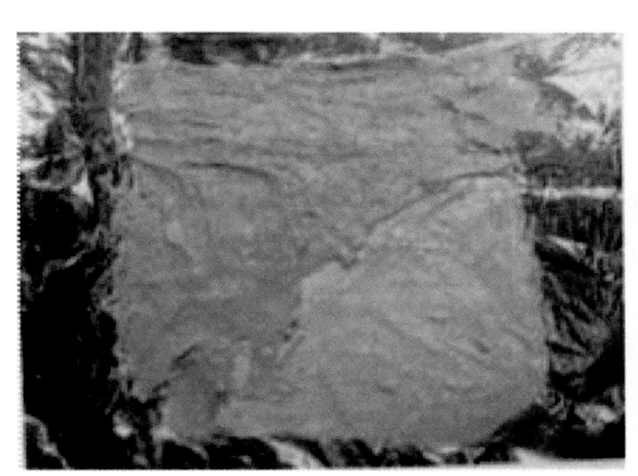

감각표현 5

촉촉!

만지고 생각해요.

촉촉! 만지고 생각해요. 1

눈, 코, 입, 은 표정으로 표현하는 영아기 아이들에게 감정을 익숙하고 흥미롭게 표현할 수 있는 가장 기초적인 얼굴의 요소이다. 촉각을 통해 눈, 코, 입을 만지며 감정표현과 사고력을 키운다.

바스락! 소리가 나는 비닐봉지로 얼굴을 만들어 보아요.

활동 목표 : 오감을 통해 재료를 탐구하며 눈, 코, 입의 위치를 찾는다.
준비물 : 스티커, 비닐봉지(대), 유성 매직, 가위, 테이프
활동 효과 : 대·소근육 발달, 인지력 발달, 창의력발달, 촉각, 청각, 시각 발달
활동 순서 :

1. 비닐을 손으로 만져보고 발로도 밟아 비벼 보며 어떤 소리가 나고 어떤 느낌이 나는지 느껴본다.
2. 아이가 좋아하는 스티커를 붙여가며 비닐을 알록달록 예쁘게 꾸민다.
3. 비닐을 흔들면 들리는 소리와 모습을 관찰하며 아이와 감정을 교감한다.
4. 비닐에 바람을 넣고 얼굴 모양처럼 동그란 형태를 만

들어 테이프로 감아준다.
5. 눈은 어디에? 코는 어디에? 입은 어디에 있을까? 하고 위치를 찾아가며 눈, 코, 입을 재미있는 모습으로 유성 매직을 사용해 그려준다.

TIP :
1. 비닐봉지를 줄지어 연결하면 재미있게 생긴 애벌레 친구가 만들어진다.
2. 비닐봉지가 크기 때문에 소리를 처음부터 너무 크게 내거나 심하게 펄럭거리면 아이가 놀라거나 무서워할 수 있다. 처음에는 살살 조금씩 만져보고 다가가게 하여 아이가 탐색하며 재료와 친해지는 시간을 충분히 준다면 아이는 오감을 충분히 사용하여 놀이를 즐길 수 있다.

<완성작>

⇧ TIP

맛있는 귤로 내 얼굴을 표현해요.

활동 목표: 귤을 먹고 만지며 눈 코 입을 만들어 재미있는 표정을 표현한다.
준비물: 귤, 도화지, 펜, 풀, 랩
활동 효과: 촉각, 미각, 후각, 시각을 고루 발달시키고 창의력, 표현력, 응용력발달
활동 순서 :

1. 도화지에 아이의 얼굴만 한 동그라미를 그린다.
2. 귤껍질을 깐 모양을 관찰하고 맛본 후 동그라미 안에서 문지르고 으깨며 귤즙을 만든다.
3. 손으로 귤껍질과 조각낸 귤을 가지고 머리모양과 눈, 코, 입을 재미있게 응용하여 표현한다.
4. 얼굴을 완성한 후 눈, 코, 입으로 다양한 표정을 흉내를 내 본다.
5. 귤껍질 3~4개를 모아 랩에 여러 번 튼튼하게 감아 눈, 코, 입을 그려준 후, 전자레인지에 40초~1분 정도 데우면 따뜻한 손난로 완성!

TIP :
1. 귤에 눈, 코, 입 스티커를 붙여 위치를 인지할 수 있는 재미있는 놀이를 할 수 있다.

2. 귤껍질은 기름과 섬유질 성분이 있어서 귤껍질로 손난로를 만들면 40분~1시간 정도 따뜻한 상태를 유지한다.

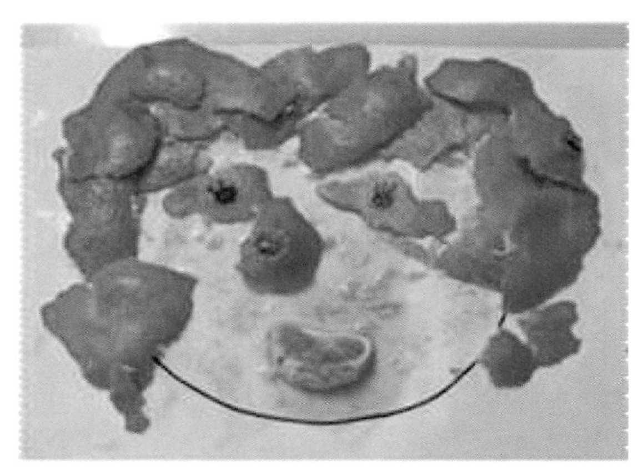

<완성작>

⇧ TIP

촉촉! 만지고 생각해요. 2

습자지로 촉감놀이를 하며 재료의 특성과 느낌을 알고 오감을 고르게 발달시킨다. 습자지로 꽃을 만들어 멋진 벽화를 만들어 보도록 하자.

하얀 꽃 같은 습자지로 오감 놀이해요.

활동 목표 : 습자지의 특성을 통해 오감을 발달 놀이 방법을 배운다.
준비물 : 하얀색 습자지
활동 효과 : 대·소근육 발달, 호기심 발달, 상상력 발달, 관찰력, 후각, 청각, 시각, 촉각 발달, 창의력발달
활동 순서 :

1. 습자지를 만져보고 흔들어 보고 구겨보며 어떤 소리와 향기가 나는지 탐색한다.
2. 팔을 크게 열어 습자지를 찢으며 땅에 떨어뜨리고 어떤 느낌인지 밟기 놀이한다.
3. 찢은 습자지를 높이 들어 머리 위로 뿌려주고 함성을 지르며 빙글빙글 돌며 습자지가 몸에 닿는 촉각을 즐긴다.
4. 바닥에 떨어진 습자지를 엎드려 수영하듯 헤치고 비비며 어떻게 모양이 달라지는지 관찰한다.

5. 습자지를 모아놓고 푹신하게 깔고 앉아 촉감을 느낀다.
6. 아이를 바닥에 눕히고 습자지로 이불을 만들어 덮어준다.

TIP :
1. 습자지 놀이를 한 후 스스로 들고 넣어 치우는 것도 수업의 과정으로 즐겁게 진행한다.
2. 주제를 넣어 다양한 색의 습자지로 놀이하자.

장미꽃 벽화 만들기

활동 목표 : 습자지로 오감 놀이를 한 후 남은 습자지로 장미꽃을 만들어 벽화를 꾸미자

준비물 : 검은색 도화지 4장, 양면테이프, 습자지

활동 효과 :대·소근육 발달, 관찰력발달, 상상력 발달, 인지력 발달, 촉각, 청각, 시각, 탐구력발달, 호기심, 집중력 발달, 인내심 발달, 재료지배 능력발달

활동 순서 :

1. 검은색 도화지를 상황에 벽이나 창문에 맞는 크기로 붙여 준비한다.
2. 도화지에 양면테이프를 임의대로 붙이면서 감촉을 느끼고 흰색과 검은색의 차이를 배운다.
3. 습자지를 탐색하고 어떤 색의 꽃을 만들지 고른다.
4. 습자지를 활용한 오감 놀이를 즐긴다.
5. 손가락에 돌돌 말아 그대로 빼면 장미꽃 모양의 습자지 꽃이 완성된다.
6. 양면테이프의 앞부분만 살짝 접어놓아 아이가 쉽게 뗄 수 있도록 한다.
7. 예쁘다는 감탄과 칭찬을 해주며 아이가 직접 습자지 꽃을 끝까지 붙일 수 있도록 격려한다.
8. 다양한 크기와 색의 꽃이 다붙어지면 습자지 꽃 벽화가 완성된다.

TIP :

장미꽃이 어떻게 생겼는지 미리 사진을 보여준다.

<완성작>

촉촉! 만지고 생각해요. 3

다양한 종이 찢기 놀이 활동을 통해 오감을 충족시키고 재미있는 작품으로 묘사하여 상상력과 창의력을 성장시킬 수 있다.

어흥! 나는야 사자!

활동 목표 : 다양한 크기로 찢은 색종이를 종이가방에 붙여 멋진 사자 가면을 만들어요.

준비물 : 색종이, 풀, 종이가방, 크레파스, 가위

활동 효과 :관찰력, 집중력발달, 대, 소근육 발달, 호기심 발달, 상상력 발달, 청각, 시각, 촉각 발달, 창의력발달, 재료지배 능력발달

활동 순서 :

1. 종이가방을 준비하고 아이의 눈 위치를 표시한다.
2. 크레파스로 자유롭게 색칠하여 꾸민다.
3. 색종이가 찢어질 때 어떤 소리가 나는지 들어보고 느낌을 표현하며 자유롭게 찢는다.
4. 색종이 조각을 종이가방 테두리에 붙여 사자의 갈기를 표현한다.
5. 눈의 위치에 맞춰 적당한 크기로 오려준 후 수염을 그려 넣는다.

6. 완성된 사자 가면을 쓰고 사자 흉내를 내며 사자의 울음소리와 동작을 따라 하며 사자놀이를 한다.

TIP :

1. 꼭 사자 가면을 결정하기보다는 아이가 하고 싶은 동물로 특징만 변화하여 다양하게 변신할 수 있다.
2. 가위질은 어른이 돕도록 하며 엉뚱한 위치에 눈을 뚫어주지 않도록 위치를 꼭 먼저 확인하고 자르도록 한다.

<완성작>

펄럭펄럭 아름다운 종이 벽

활동 목표 : 습자지를 찢어 오감 놀이를 즐기고 벽을 꾸며 새로운 놀이 조형물을 완성해요.

준비물 : 습자지, 투명 테이프(大)

활동 효과:대, 소근육 발달, 상상력 발달, 인지력 발달, 촉각, 청각, 시각, 촉각, 탐구력발달, 신체 근육 발달, 창의력 발달, 재료지배 능력발달

활동 순서 :

1. 다양한 색의 습자지를 쭉쭉 찢어서 맨발로 밟고 손으로 구기며 탐색한다.
2. 습자지를 가득 들고 위로 뿌려도 보고, 어떤 기분이 드는지 말과 행동으로 표현한다.
3. 습자지 위에 누워 굴러보고, 덮어보고, 헤엄도 쳐보며 다양한 신체 놀이를 경험한다.
4. 투명 테이프를 아래에서부터 벽이 되도록 아이들 키 높이로 붙인 후 테이프에 습자지를 붙인다.
5. 걸음마를 막 시작한 아가들의 경우는 두 줄 정도가 적당하며 테이프를 붙잡고 넘어지지 않도록 주의하며 붙인다.
6. 습자지 벽 뒤에 숨어 얼굴이나 신체를 보여주기 게임

을 하며 습자지의 촉감을 온몸으로 체험한다.

TIP :
습자지는 얇고 잘 찢어지며 찰랑거리는 소리가 아이들에게 자극이 되므로 아이들이 스트레스를 풀 수 있는 매개체가 될 수 있다. 단, 한꺼번에 많이 잡고 뜯는 것은 무리이므로 종이를 찢을 때 손바닥 힘이 아닌 종이의 결에 맞춰 위에서 아래로 잡고 찢으면 쉽게 찢어질 수 있는 원리를 알려준다.

<완성작>

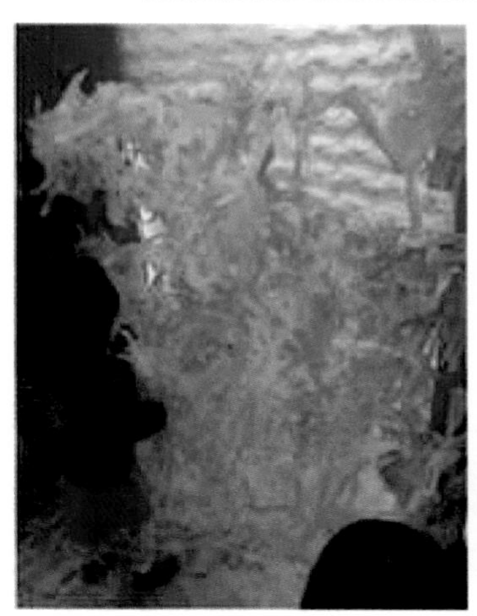

- 에필로그 -

이 책을 통해 우리는 아이들이 세상을 발견하고, 감각적으로 탐구하는 과정에서 얻는 보람을 함께 나눌 수 있었습니다. 오감 놀이는 아이들이 자기 능력을 발휘할 수 있도록 돕는 중요한 도구가 되었습니다.

책을 출판하는 과정에서 수업한 아이들의 부모님 동의를 얻고자 연락을 드렸을 때, 참 즐거웠고 행복한 시간이었다는 이야기를 나누어 주셨습니다.

책 속에 나오는 아이들이 오감을 통해 세상의 다양성과 아름다움을 경험하게 하고 호기심과 궁금증을 자극할 수 있었다는 점에 대해 자랑스럽게 생각합니다.

저자는 항상 아이들과 함께 성장하고, 그들이 더 나은 세상을 만들어 나갈 수 있도록 도울 준비가 되어 있습니다. 그리고 아이들과 함께하는 여정으로 끝나는 것이 아니라 그들의 미래를 밝게 만들어 나가는 교사의 역할에 최선을 다할 것입니다.

또한 이 책의 일부 내용은 영아 오감놀이 수업을 통해 영아 보육잡지에 소개되었습니다.

그 당시 소중한 아이들의 사진을 허락해 주시고 함께 오감놀이를 즐겨 주셨던 부모님들께 감사드립니다.

아이들과 함께 오감 놀이를 통해 세상을 새롭게 발견하고 성장한 경험을 기쁘게 생각합니다.
그들이 행복하고 건강하게 자라길 진심으로 바랍니다.

또한, 이 책을 읽고 수업에 하게 될 아이들, 부모님들, 그리고 선생님들에게도 큰 의미가 되기를 바랍니다.

<작가소개>

필명 행복한 뮈쌤으로 활동 중인 이은미 선생님은 ....

2017년 경희대학교 교육대학원에서 『그림동화를 활용한 오감융합 미술교육 개발연구』 논문으로 미술교육을 전공했습니다.
1세대 방문미술 교육 회사인 '아이가그리는세상'에서 최연소 지사장 출신으로 능력을 인정받았으며, 어린이 신앙교육 전문 사역기관인 '더스토리연구소'에서 미술놀이를 활용한 '오감성경놀이' 프로그램을 개발하였습니다. 또한, 영·유아 및 초등 대상의 문화센터 강사로 활동하며, '한국아동청소년 미술대회 심의 위원회' 임원으로 다양한 아동미술대회 심사위원을 역임하였습니다.

현재 이은미 선생님은 경희아동미술연구소 소장과 더스토리연구소의 Education Director로 활동 중이며, 중학교 자유학기제 강사와 교과 미술 교사로서도 활약하고 있습니다. 또한, 경희대학교 교육대학원 아동미술교육과 예술·문화 진로교육 전공 과정의 강의와 예술 진로 특강, 스토리텔링을 활용한 미술교육 프로그램 개발 강사로서도 활발히 활동하고 있습니다.

23년간의 교육 경력을 가진 이은미 선생님은 "재미없는 수업은 절대로 하지 않겠다"라는 신념으로 항상 흥미롭고 창의적인 수업을 만들어 가는 열정적인 교사입니다.

행복한 뮈쌤과 예술로 소통하기

행복한 뮈쌤의 블로그

https://m.blog.naver.com/0dmsal237

행복한 뮈쌤의 인스타그램

@mimilualu

행복한 뮈쌤을 소개합니다.

https://m.site.naver.com/1p2hq

"보육교사가 찾아보는 아기놀이책"

"놀줄 아는 보육교사와 아기엄마의 필독서"

"아기랑 어떻게 놀아주지?

"잘 놀줄 아는 아가가 창의력이 높다"

"놀다가 천재되기!"

ESTD —————— 2023

FASHIONARY

Seichi

패셔너리
패션의 화려함 그 뒷이야기
&
용어 사전(Dictionary)

김세호(세이치) 지음

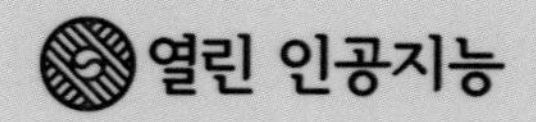